D1488327

Ranma 1/2

2
LA ROSE NOIRE

© 1994, Rumiko Takahashi / Shogakukan /
Viz Communications Inc.
First published by Shogakukan, Inc. in Japan.
French editions are licenced through Viz Communications Inc.,
San Francisco.

Traduction : Kiyoko Chappe
Lettrage : Yvan Jacquet / Fabrice Bras
© 1994, Glénat
BP 177, 38008 Grenoble Cedex.
ISBN 2.87695.230.0
Dépôt légal : janvier 1996
Imprimé en Italie par Valprint (MI)

les numéros des Maîtres "MANGAS"

---

36 68 28 82

36 69 69 96

36 15 KAMÉHA
2,23 F TTC/mn

OSTÉOPATHE

KASUMI?
T'ES SÛRE?

• • •
• • •

LE DR TOFU
L'AIME...

C'EST L'IMPRESSION
QUE ÇA
DONNE...

SALUT, KASUMI.

HMM...

C'ÉTAIT QUOI, CE BRUIT ?

RANMA ? TU VAS BIEN ?

C'EST UN DE MES NOUVEAUX CLIENTS.

N'EST-CE PAS, RANMA ?

pat pat

JE SUIS LE PÈRE DE RANMA !

DOCTEUR ?

AU FAIT, TU VOULAIS ME VOIR ?

JE RAPPORTE LE LIVRE QUE VOUS M'AVIEZ PRÊTÉ...

ET...

J'EN PROFITE POUR VOUS OFFRIR CECI...

DOCTEUR ?

OH ?!

UN FOULARD !

IL ME VA AU POIL !

CE N'EST PAS CE QUI ÉTAIT PRÉVU...

...DÉLICIEUX !

KRUNCH KRUNCH

DOCTEUR ?

HUM... L'ASSIETTE...

DOCTEUR !

UN PROBLÈME ?

MON COU !

UNE BLESSURE ? JE PEUX QUELQUE CHOSE POUR TOI ?

DOCTEUR...

JE VAIS T'ARRANGER ÇA !

SKRAKK

AAAH !

MONSIEUR SAOTOMÉ...

...PRÉPAREZ DONC UN THÉ POUR KASUMI.

HEY ! JE SUIS LÀ !

DOCTEUR !

LE DOCTEUR TOFU EST UN VÉRITABLE BOUTE-EN-TRAIN.

HMM...

ÇA DÉPEND...

...DE TOI !

VRAIMENT ?

BON, IL EST TEMPS QUE JE RENTRE. SALUT !

AKANÉ ?

QU'EST-CE QU'Y LUI ARRIVE ?

ON AURAIT PU RENTRER ENSEMBLE...

VOUS ÊTES... ?

MR SAOTOMÉ. VOTRE ASSISTANT !

...

AH, OUI !

ET DEPUIS QUAND VOUS ÊTES UN PANDA ?

KONK

DEPUIS CET ÉTÉ.

QU'EST-CE QU'IL FABRIQUE ?

KASUMI EST LÀ !

C'EST PAS UNE RAISON POUR NOUS FAIRE ATTENDRE !

OSTÉOPATHE

BZ BZ ZZZ ZZZ

CETTE CONSULTATION POURRAIT NOUS ÊTRE FATALE !

EN TEMPS NORMAL, C'EST POURTANT UN BON DOCTEUR !

AKANÉ ?

ÉCOLE D'ARTS MARTIAUX TENDO COMBATS SANS MERCI.

ELLE DOIT S'ENTRAÎNER DERRIÈRE LE DOJO...

TU AS UN PROBLÈME AU COU ?

KRASH

QU'EST-CE QUE TU M'VEUX ?

HUMM. DÉPRIMÉE ?

NE ME DIS PAS QUE TU VEUX M'AIDER...

...JE NE TE CROIRAIS PAS !

QU'EST-CE QUE ÇA SIGNIFIE ?

DOING

...

HEY ! HEY ! CHK CHK CHK

MON COU ? JE SUIS GUÉRI !

TU AS UN PEU DE TEMPS LIBRE ?

HEIN ?

PFUU...

TU ES PLUS JOLIE QUAND TU SOURIS...

C'EST PEUT-ÊTRE VRAI...

28

OH !

IL L'A STOPPÉ D'UN SEUL BRAS !

SCF SCF

SQUIK SQUIK

WAOUH !

COSTAUD, LE GAMIN !

WHOP

AARG!

TU FAIS DES ARTS MAR- TIAUX ?

TU T'EN- TRAÎNAIS DANS LA MONTAGNE ?

• • •

LE LYCÉE FURINKAN, S'IL VOUS PLAÎT ?

LE LYCÉE FURINKAN ?

IL A UNE CARTE.

FAIS VOIR TON PLAN.

HEY !

MAIS C'EST À TOKYO ?!

C'EST À 500 KILOMÈTRES AU NORD !

JE VOIS...

EXCUSEZ DU DÉRANGEMENT.

IL EST PAUMÉ...

hyuuuu

slaf slaf

RANMA ! PRENDS PATIENCE ! J'ARRIVE !

UNE SEMAINE PLUS TARD...

RANMA ! ARRÊTE !

DADADADA

T'AS QU'À M'ATTRAPER !

BUUOING

TU... TU...

HEIN ?

PROBLÈME !

TU LE CONNAIS?

OUAIS!

HMM...

C'EST... C'EST...

BZZ BZZ BZZ

TA MÉMOIRE SEMBLE DÉFICIENTE...

DIS-MOI JUSTE UNE CHOSE, RANMA.

POURQUOI N'ES-TU PAS VENU À NOTRE DUEL?!

ÇA Y EST ! JE ME SOUVIENS !

TU ÉTAIS DANS MA CLASSE, DANS MON ANCIEN LYCÉE...

... RYOGA HIBIKI !

ÇA FAIT UN BAIL !

RÉPONDS À MA QUESTION !

JE T'AI ATTENDU TROIS JOURS À L'ENDROIT PRÉVU !

TROIS JOURS ?!

OUI ! MAIS QUAND JE SUIS ARRIVÉ LE QUA-TRIÈME JOUR...

...TU N'ÉTAIS PLUS LÀ !

... RYOGA, JE PEUX TE POSER UNE QUESTION ?

45

SNATCH

PAR N'IMPORTE QUEL MOYEN...

...JE VAIS RUINER TON BONHEUR !

MON... BONHEUR...?

DE QUOI PARLE-T-IL ?

J'EN SAIS RIEN !

COMME CETTE NOIX...

...JE T'ANÉANTIRAI !

KRUNCH

TON HEURE A SONNÉ !

RANMA ?

QU'EST-CE QUI S'EST PASSÉ AVEC RYOGA ?

SINCÈREMENT, JE NE M'EN SOUVIENS PAS !

DOJO TENDO.

CAFETERIA

MAGNONS-NOUS, SINON IL N'Y AURA PLUS DE PAIN !

PRÊTS POUR LE DERNIER PETIT PAIN AU CURRY ?

JE L'AI !

HWOOOOOOO

QUI VEUT DU PAIN À LA PÂTE DE HARICOT ?

GRR !

QUI ES-TU ?

RANMA SAOTOMÉ

RANMA SAOTOMÉ...

...JE N'OUBLIERAI JAMAIS L'OFFENSE QUE TU VIENS DE ME FAIRE SUBIR !

IL VERSAIT DES LARMES DE DÉPIT !

LE DÉJEUNER, C'ÉTAIT TOUJOURS LA GUERRE.

NOUS ÉTIONS DANS UN LYCÉE POUR GARÇONS...

UN LYCÉE POUR GARÇONS ?!

À L'ÉPOQUE, J'ÉTAIS UN GARÇON 365 JOURS PAR AN !

IL NE PEUT PAS T'EN VOULOIR POUR UN MORCEAU DE PAIN AU CURRY.

GLUGL UGL UGL

TU AS RAISON...

IL DOIT Y AVOIR AUTRE CHOSE...

ÇA ME REVIENT...

SNAP

PRÊTS POUR LE DERNIER PETIT PAIN À LA NOUILLE SAUTÉE ?

WHIPP

WHOK

CLOP

OU ALORS C'ÉTAIT...

POW

DERNIER PETIT PAIN À LA CROQUETTE !

OU...

PAIN AU MELON !

SANDWICH AU PORC PANÉ !

HAMBUR-GER !

PUIS CE FUT LE PAIN AUX ALGUES...

SCRATCH SCRATCH

HMM MMM...

CERTAINS ÉVÉNEMENTS ANECDOTIQUES SONT PARFOIS...

...À LA BASE DE CONFLITS INTERMINABLES !

HMM ?

RANMA ?

LE DUEL... C'ÉTAIT HIER !

SANS IMPORTANCE.

CE TYPE N'A AUCUN SENS DE L'ORIENTATION.

IL EST PROBABLEMENT QUELQUE PART EN TRAIN DE DEMANDER SON CHEMIN...

TOKYO... C'EST PAR LÀ ?

NON ! C'EST PAR ICI !

JE T'AI DIT PAR ICI !

UNE SEMAINE PLUS TARD...

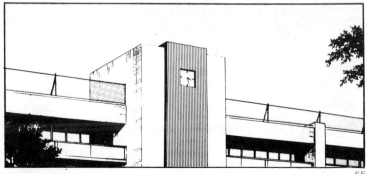

...CECI !

WHPP

KACH

...

QU'EST-CE QUE C'EST ?

HMM... ON OUBLIE LE PASSÉ ?

TU... TU TE FOUS DE MOI ?

ÇA NE TE SUFFIT PAS ?

TIENS ! DU PAIN À LA NOUILLE SAUTÉE !

WHPP

CHOW MEIN BREAD

63

76

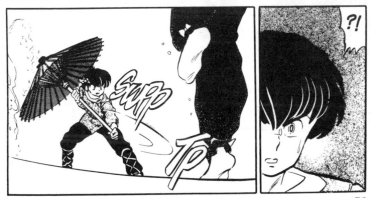

80

QU'EST-CE QUE TU REGARDES COMME ÇA, ABRUTI ?!

RANMA ! TA...

...TA POITRINE !

HEIN ?

GASP !

TU ES UNE FILLE ! TU N'AS RIEN SENTI VENIR ?

RANMA... TU ES...

...

PFUU !

T'ES EN DROIT DE TE MARRER ! ALORS ?

ÉCOUTE...

...JE NE SAIS PAS POURQUOI TU ME HAIS...

83

85

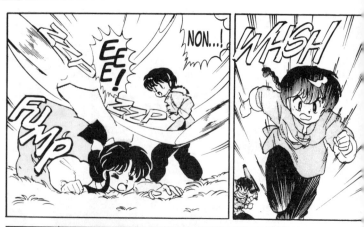

...AURONT RAISON DE TOI !

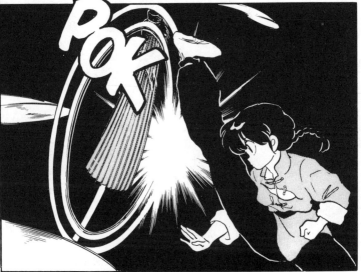

...MONS-
TRÜEUSEMENT
LOURD ?

SI...!

BZZ.
BZZ.
BZZ

TU FUIS ?
LÂCHE !

JE
REVIENS
TOUT DE
SUITE !

ZZHMM

ZZHMM

KRNCH

TAP

C'EST DE **TA** FAUTE !

N'INTERFÈRE PAS DANS MES AFFAIRES...

HEIN ?!

COMMENT POUVAIS-TU VAINCRE SI TU RESTAIS EN FILLE ?

C'EST POUR ÇA QUE...

MÊLE-TOI DE TES AFFAIRES !

C'EST UN DUEL ENTRE HOMMES !

TOI UN HOMME ? UN **SATYRE**, OUI !

TOM

SHHHIP

?!

QU'EST-CE QU'IL FAIT ?

SNAP

OOOH!

SA CEINTURE... EST RIGIDE COMME UN BÂTON...

SWISH

SWISH

BOOP

KREEEEEEK

SI TU NE FOUR-RAIS PAS TON NEZ PARTOUT...

TU N'ES VRAIMENT QU'UN SALE **CRÉTIN** !

LÂCHE-
MOI !

TU
CROIS...

...QUE JE TE
TIENS PAR
PLAISIR ?

99

SHF

OHHHHH

A...
AKA...
...NÉ...

ELLE EST
EN ÉTAT
DE CHOC !

ÇA
T'ÉTONNE
?!

C'EST UNE CHANCE QU'ELLE NE SOIT PAS MORTE DE HONTE SUR LE COUP !

TU NE PEUX PAS COMPRENDRE ÇA EN TANT QUE FILLE ?!

MAIS QUI ES-TU DONC ?

GLOUPS !

JE ME POSAIS LA MÊME QUESTION...

ET RANMA... OÙ IL EST PASSÉ ?

...

LÀ N'EST PAS LE PROBLÈME !

IL S'AGIT D'AKANÉ !

TOUT VA BIEN... ELLE N'EST PAS BLESSÉE...?

NON ! MAIS ELLE A UNE SALE COUPE DE CHEVEUX !

HWOOOOOO

BURBLE

CHOP CHOP

MMM.

SUCCULENT!

AKANÉ ?

TU ES RENTRÉE ?

ZOOM

SNAG

P!?Q P!?Q

KASUMI, TES RÉACTIONS SONT PARFOIS UN PEU EXCESSIVES.

TES CHEVEUX ?! QU...?

WHF WHF WHF

112

AKANÉ EST ALLÉE CHEZ LE DOCTEUR TOFU...

ELLE SOUFFRE D'UNE CHEVILLE.

IL S'EST PASSÉ QUELQUE CHOSE À L'ÉCOLE ?

AH !

AKANÉ !

TUMP

HEIN ?!

DÉSOLÉ ! J'AI DÛ FAIRE ERREUR !

TU CHERCHES QUI ?

?!

POURQUOI TU FAIS CETTE TÊTE ?

AKANÉ ?

ÇA ME VA BIEN, NON ?

...

AKANÉ...

JE SUIS DÉSOLÉ...

TIENS DONC...

POUR UNE FOIS QUE TU AS L'AIR SINCÈRE.

C'EST JUSTE QUE...

C'EST BON...

"CRA-QUANTE"

IL A DIT QUE...

...TU ÉTAIS "CRA-QUANTE".

ÇA DOIT TE CONSOLER, NON ?

PAS PLUS QUE ÇA.

VRAIMENT ?

HAPPY HOUR

DE TOUTE FAÇON, C'EST KASUMI QU'IL AIME. PAS MOI.

POURQUOI TU ME REGARDES COMME ÇA ?

TU TE SENS BIEN ?

... NE SOIS PAS STUPIDE...

T'IN-QUIÈTE PAS.

JE N'AI PAS BESOIN DE TOI POUR ME CONSOLER.

QUE SOUS-ENTENDS-TU PAR LÀ ?

J'ESSAIE DE TE FAIRE UN COMPLIMENT ET...

TU AS VRAIMENT UN CARAC-TÈRE DE COCHON !

JE NE SUIS PAS AIMABLE. JE SAIS.

JE VOULAIS JUSTE TE DIRE QUE JE TE PRÉFÈRE AVEC LES CHEVEUX COURTS...

JE SAIS...

... QUE POUR TOI...

... MON JUGEMENT N'A PAS D'IMPORTANCE, MAIS BON...

123

DOJO TENDO... C'EST ICI !

TA DERNIÈRE HEURE EST ARRIVÉE, RANMA !

HSSSSSS

TIK TIK
TIK.

KREEK

ZZ
ZZ
ZZZ

RANMA !
DE-
BOUT !

C'EST
MOI,
RYOGA
!

BATS-
TOI !

HEY !
RANMA!

ZZZ
ZZ
Z

TU VAS
TE
LEVER,
OUI ?!

WHISH

RANMA

POOM

FLOP

129

RYOGA !

QU'EST-CE QUE TU FAIS LÀ EN PLEINE NUIT ?

BOUCLE-LA !

IL N'Y A PAS D'HEURE POUR SE VENGER !

ENCORE...

C'EN EST TROP !

IL N'Y A AUCUNE RAISON POUR QUE TU ME HAÏSSES DE LA SORTE !

IL FAUT QUE TU SACHES QUELQUE CHOSE AVANT D'ALLER EN ENFER...

RR RM M BBL

LORSQUE TU AS FUI NOTRE PREMIER DUEL JE T'AI POURSUIVI...

...JUSQU'EN CHINE !

KRAK

HMM ?

...

PSHHHH

GR SH SH

NE ME DIS PAS QUE TU ES ALLÉ AU PAYS DES SOURCES MALÉFIQUES...

...ET QUE TU T'Y ES BAIGNÉ ?!

SHAA

SILENCE !

C'EST... UN CAMBRIOLEUR !

SON SAC EST REMPLI DE TRUCS VOLÉS !

JE VAIS ME LE FAIRE !

NON !

C'EST TROP DANGEREUX !

MAIS...

KRAK

OH !

TIENS !

QU... ?!

WHPP

SHPP

KLONG

LE SAC DE RYOGA..

... ET SES VÊTE-MENTS...

JE ME DOUTAIS BIEN QUE...

GRRRR.

PLISH

RYOGA...?

HUFF
HUFF

HUFF

SNORT!

UN COCHON...

D'OÙ VIENS-TU ?

APPROCHE.

SCOOT

VIENS !

N'AIE PAS PEUR !

TU ES TREMPÉ.

TU VIENS DE DEHORS ?

C'EST QUOI CETTE BOSSE ?

CALME !

UN PEU DE POMMADE SUR TA BOSSE ET...

...

Sigh

MAIS... IL ROUGIT !

NE SOIS PAS STUPIDE !

SQUEEEEE

COCHON ! JE LE SAVAIS ! C'EST UN MÂLE !

EXACT !

WHAP WHAP WHAP

OUCH!

ET CE CHIEN ?

...

144

146

DOJO TENDO

UNE FILLE M'A FAIT TOMBER DANS LA SOURCE...

...ET DEPUIS...

BON C'EST PAS LE TOUT, À LA BOUFFE !

SQUEEE

GUFF

SHRAAK SHRAAK

PUF PUF

IL Y A UNE SOURCE, QUI S'APPELLE LA SOURCE DU COCHON NOIR...

KEEE KEEE KEEE

SELON LA LÉGENDE, IL Y A 2000 ANS, UN COCHON S'Y EST NOYÉ...

DEPUIS, TOUS CEUX QUI Y TOMBENT DEVIENNENT DES PETITS COCHONS NOIRS.

BURBLE URBLE URBLE

CELUI-LÀ PAR EXEMPLE POURRAIT AVOIR ÉTÉ VICTIME... ...DE CETTE TRAGIQUE MALÉDIC-TION...

HWEEE! HWEEE!

...ET N'ÊTRE EN VÉRITÉ QU'UN PAUVRE HUMAIN IMPRUDENT.

NOD NOD

JE PLAI-SANTE ! C'ÉTAIT UNE BLAGUE !

HAHAHAHAHA

BLOOSH KEEE

OUI, ET ALORS ?

ET ALORS... JE NE SUIS PAS UNE FILLE !

SI TU DOIS EN VOULOIR À QUELQU'UN C'EST À CETTE GONZESSE ET À CE PANDA QUI...

OH

...

ZWOOP

PLISH

EXCUSEZ-MOI !!

THUMP

UN... PANDA.

LA... ...LA FILLE...

C'ÉTAIT TOI ! RANMA !

WOOSH

GAA AA !

SLAP SLAP SLAP

BRR. BRR.
BRR. BRR.

PLIP
PLOP

MA PUCE...
VIENS!

BOO HOO

BOO HOO

HEY !

TU L'EM-MÈNES OÙ ?

DANS MON LIT !

TU... TU...

UNE SECONDE !

CE... CE CO-CHON EST...

NE PLEURE PLUS MA PUCE.

AAA... !

SMACK

161

TP

OINK!?

GRRRR

SI TU NE VEUX PAS QUE JE TRAHISSE TON IDENTITÉ...

...NE FAIS PAS UN BRUIT !

MMMMMM

GLOMP

SNAG

SNIP

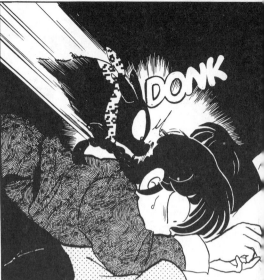

BAP BAP

AT-
TENDS !

ÉCOUTE !

RYOGA...

QUOI,
RYOGA ?

C'EST
TOI LE
SATYRE !
PAS
LUI !

BOOOOM

RANMA,
LA PROCHAINE
FOIS QUE TU
T'INTRODUIS
DANS LA
CHAMBRE D'UNE
FILLE, ESSAIE
D'ÊTRE
DISCRET !

LA SAUVAGERIE
N'EST PAS UNE
SOLUTION !

IL A FAIT
PREUVE
D'AUDACE.

J'EN VEUX
ENCORE !

OH
NON,
C'EST
PAS
VRAI...

QUELLE
FAMILLE !

166

WH∞OP

TA!

FSHH

RETIENS CECI... ON ME NOMME LA ROSE NOIRE DU LYCÉE SAINT-BACCHUS.

KODACHI... LA ROSE NOIRE.

SOUVIENS T'EN !

POIT

PAS MAL...

Heh

176

ET...

...VOUS SOUHAITEZ...

...QUE J'Y PARTICIPE ?

AKANÉ! S'IL TE PLAÎT !

IL N'Y A QUE TOI QUI AIES UNE CHANCE !

LA PROCHAINE ÉPREUVE...

...C'EST DE LA GYMNASTIQUE-LUTTE !

DE LA QUOI ?

ÇA !

LES CHAMPIONS DE CHAQUE ÉCOLE DEVRONT SE BATTRE EN UTILISANT LES TECHNIQUES DE LA GYMNASTIQUE RYTHMIQUE !

SCHÉMA :

RYOGA...?

RYOGA, OU PETITE PUCE ?

PETITE PUCE ?!

EH, OUI...

C'EST VRAIMENT SYMPA DE TA PART, RYOGA !

BLUSH

TU... TU TROU- VES ?

FSSHH

LE RUBAN.

NE MANQUEZ PAS LE VOLUME 3 DES AVENTURES DE RANMA.
- À PARAÎTRE -

"En plus d'être un specimen remarquable
de la bande dessinée japonaise,
Ranma 1/2 a le mérite de s'adresser
autant aux garçons qu'aux filles. C'est rare !"

Olivier Richard

Le Premier Magazine des Consoles de Jeux Vidéo

Chez le même éditeur

Collection Mangas

Par Akira Toriyama
Dragon Ball - Tome 1 : Sangoku
Dragon Ball - Tome 2 : Kamehameha
Dragon Ball - Tome 3 : L'initiation
Dragon Ball - Tome 4 : Le tournoi
Dragon Ball - Tome 5 : L'ultime combat
Dragon Ball - Tome 6 : L'empire du ruban rouge
Dragon Ball - Tome 7 : La menace
Dragon Ball - Tome 8 : Le duel
Dragon Ball - Tome 9 : Sangohan
Dragon Ball - Tome 10 : Le miraculé
Dragon Ball - Tome 11 : Le grand défi
Dragon Ball - Tome 12 : Les forces du mal
Dragon Ball - Tome 13 : L'empire du chaos
Dragon Ball - Tome 14 : Le démon
Dragon Ball - Tome 15 : Chi-chi
Dragon Ball - Tome 16 : L'héritier
Dragon Ball - Tome 17 : Les Saïyens
Dr Slump - Tome 1
Dr Slump - Tome 2
Dr Slump - Tome 3

Par Rumiko Takahashi
Ranma 1/2 - Tome 1 : La source maléfique
Ranma 1/2 - Tome 2 : La rose noire
Ranma 1/2 - Tome 3 : L'épreuve de force
Ranma 1/2 - Tome 4 : La guerre froide
Ranma 1/2 - Tome 5 : Les félins
Ranma 1/2 - Tome 6 : L'ancêtre
Ranma 1/2 - Tome 7 : L'affront

Par Naoko Takeuchi
Sailor Moon - Tome 1 : Métamorphose
Sailor Moon - Tome 2 : L'homme masqué
Sailor Moon - Tome 3 : Les justicières de la lune
Sailor Moon - Tome 4 : Le cristal d'argent
Sailor Moon - Tome 5 : La gardienne du temps

Par Yukito Kishiro
Gunnm - Tome 1
Gunnm - Tome 2
Gunnm - Tome 3
Gunnm - Tome 4

Collection Kaméha

Par Ikegami / Koike
Crying Freeman - Tome 1
Crying Freeman - Tome 2

Par Minagawa / Takashige
Striker - Tome 1

Collection Akira

Par Katsuhiro Otomo
Akira - Tome 1 : L'autoroute
Akira - Tome 2 : Cycle wars
Akira - Tome 3 : Les chasseurs
Akira - Tome 4 : Le réveil
Akira - Tome 5 : Désespoir
Akira - Tome 6 : Chaos
Akira - Tome 7 : Révélations
Akira - Tome 8 : Le déluge
Akira - Tome 9 : Visions
Akira - Tome 10 : Revanches
Akira - Tome 11 : Chocs
Akira - Tome 12 : Lumiéres
Akira - Tome 13 : Feux
Akira - Tome 14 : (à paraître)

Par Masamune Shirow
Appleseed - Livre 1
Appleseed - Livre 2
Appleseed - Livre 3
Appleseed - Livre 4
Orion - Tome 1
Orion - Tome 2

Par Morvan/Buchet/Savoïa/Chagnaud
Nomad - Tome 1 : Mémoire vive
Nomad - Tome 2 - Gaï-Jin

Également chez Glénat

Par Hayao Miyazaki
Porco Rosso - Tome 1
Porco Rosso - Tome 2
Porco Rosso - Tome 3
Porco Rosso - La légende

Par Masaomi Kanzaki
Street Fighter - Tome 1
Street Fighter - Tome 2
Street Fighter - Tome 3
Street Fighter - Tome 4